Reprezentanta Poeto de eldonejo

Enteru sopirantan kanton al la koro

Mateno / Poemaro

La poeto estas naskita en Ĵangheung, Ĵeollanam-do en 1966. Li lernis ĉe Yeongdong High School en Seulo kaj studis arkitekturon en Hanyang Universitato, la Sekcion de Juro en Korea Nacia Malferma Universitato, kaj en urba Universitato de Seulo urba administrado Diplomiĝinta lernejo. Li vivas lian duan vivon feliĉe kaj ĝoje kiel poeto, verkisto, tradukisto, kaj Ĉefoficisto de eldonejo kaj domo, kiuj nomoj estas azalea.

Reprezentanta Poeto de eldonejo

Enteru sopirantan kanton al la koro

Mateno / Poemaro

Eldonejo Azalea

Enteru sopirantan kanton al la koro
인 쇄 : 2022년 12월 07일 초판 1쇄
발 행 : 2022년 12월 14일 초판 1쇄
지은이 : 오태영(Mateno)
펴낸이 : 오태영
표지디자인 : 김재성
출판사 : 진달래
신고 번호 : 제25100-2020-000085호
신고 일자 : 2020.10.29
주 소 : 서울시 구로구 부일로 985, 101호
전 화 : 02-2688-1561
팩 스 : 0504-200-1561
이메일 : 5morning@naver.com
인쇄소 : TECH D & P(마포구)

값 : 12,000원
ISBN : 979-11-91643-76-3

파본된 책은 바꾸어 드립니다.

Mi donacas ĝin al vi ____________

Mateno

Enhavo

Prologo

Mi ŝatas librojn, kaj verkas poezion, kaj verkis multajn artikolojn. Estas mirinde legi libron kaj kunhavi miajn pensojn kaj recenzojn unu kun la alia.
Mi decidis eldoni poemaron kolektante la artikolojn, kiujn mi verkis iom post iom ekde la fruaj tagoj de mia laborvivo. Dum mi puras mian domon, mi trovas manskribitajn manuskriptojn kaj zorge kolektas ilin ĉi-okaze por eldoni malgrandan poemaron kiel la unuan kaj la lastan.
Tial mi eldonis mian poemaron antaŭ 2 jaroj. Nun mi montras mian poemaron en esperanto.
Intertempe mi publikigis plurajn librojn kolektante verkojn, mallonga rakontoj, libro-recenzojn, gazet-artikolojn kaj diversajn eseojn, sed ĉi tiu estas mia unua poemaro en esperanto, do mia koro tremas, sed mi skribas memorante tiun tagojn kaj volas kunhavi la patoson de poezio.
Mi estas dankema al mia patrino, kaj mia tuta familio kaj amikoj, kiuj amis min per senĉese preĝoj, kaj mi donas la tutan gloron al Dio, kiu gvidis min skribi ĉi tiun libron. el Mateno(poeto)

Gratul eldiro

Tempo por havi trankvilon kaj komforton

Esperanta libro de poezio estis publikigita okaze de kristnasko de 2022. Gratulon pro la publikigo de la poeziolibro de mia juna frato Tae-Young Oh. Li nun vivas duan vivon post retiriĝo de sia ŝtataofico, kaj povis kolekti poemaron, kiujn li verkis.
Ni vivas ĉiutage kiel miraklo.
Mi esperas, ke vi povas gustumi kaj senti tiun emocion per la verkado de la aŭtoro.
Mi ŝatus preni ĉi tiun spacon por esprimi mian dankemon kaj aprezon al mia pli juna frato, kiu ricevis multan amon kaj helpon per altvalora rilato.
Mi ĉiam estas amata de vi en mia religia vivo, familia kaj socia vivo.
Corona 19, kiu pelis la tutan mondon en timon de morto. Nun ĝi iom post iom malaperas. Venas la ordinara ĉiutaga vivo kiu venas tiel malfacile. Mi elkore esperas, ke fariĝos tempo por ekstari denove.
Bonvolu legi malrapide poemon per ĉi tiu poemaro. Mi esperas, ke ĉi tio estos tempo de paco kaj komforto.
Oh Yeon-za (japana misiisto)

Parto I

1980~1990-aj jaroj

Koro

Fariĝu sep-stria ĉielarko

en la mallumo de pluvo
Mia koro tiel laca
kiel vi vere volas

Fariĝu silenta vento

en la arda varmego
Koro kiu luktas kaj kroĉas
kiel vi vere volas

Sep ĉielarkoj!
Silenta vento!
Ĉu vi ne estas la amiko, kiun vi vere bezonas en via koro?

Printempa lumo

Vi estas belega
super mia seka kapo
Vi estas belega
sur mia malvarma koro

Vi lumis ĉiujn.
Mi estis dankema.

Mia seka kapo
senespere serĉis amon.
Mia malvarma koro
ankaŭ volis amon.

Mi denove
rigardis vin.

Vi varmigis mian koron,
kiu estas malvarma.

Mi ne forgesos vin,
kiu denove faris min
Mi neniam forgesos vin.

Malgaja muziko

La muziko, kiu similas al mia koro, fluas.
Ĝi estis ŝia plej ŝatata muziko.
Ĝi estas tiel malĝoja melodio.

La muziko, kiun mi aŭskultis kun ŝi, nun ĉesis.
Post kiam ŝi forpasis, la muziko ĉesis.

Ah!
Mi donis ŝin al muziko.

Ĉiuj, kiujn vi hazarde renkontas

Se vi loĝas en la mondo
Mi ne estas la sola vivanta

Vi estas aminda ulo
Mi pensas vin bona.

Al ĉiuj kun kiuj mi renkontas donota bonaĵo
Ŝajnas iom malkonsekvenca.

La rivero de tempo serpentumas flue
Riveroj kaj riveretoj rondiras ĉirkaŭe

Montoj, montetoj, pintoj kune
kreas harmonion bele.

Al ni ĉiuj, kiujn ni hazarde renkontis promenante
Mi sentas alian min denove.

Ĉu la vivo ne estas bela?
Ĉar ni estas tiel kune.

Malgraŭ religio kaj raso estas malsama
Ni renkontiĝas tutmonde

Malgraŭ laborejo kaj sekso estas malsama
Ni vidas la sunon unuĉiele

Dio de amo

Mi estis tre malsana
Ĉiu angulo ĉiu korpo
Ĝi turmentis min sen manki unu.

Mia korpo estas pli malbona ol kontuzita kano
Pli malbona ol estingiĝanta lampo.

Mi lamentis min.
Mi malbenis mian korpon.

Tamen mi ne eltenis ĝin.
Mi preĝis.

Patro! Patro! Patro!
Via amata infano ĝemas pro malsano.
Mi malbenas mian korpon.

Mi lamentas.

Mi suferas pro doloro.

Mi preĝis.
Mi atendis, ke vi envolvos mian korpon per amo.
Kaj mi eltenis.
Ah! Vi estis mia vera patro.
Longan vojon vi venis sola por savi min de malsano
sen ajnaj piedsignoj.

Nun mi ne suferas.
Mi ne lamentas mian korpon.
Mi ne malbenas.
Mia eta vivo, kiun Dio donis al mi, mi vivos por Dio.

Mi trovis amon.
Fido, espero, atendeco, pacienco.

Nigra nokto

Al la koro de seniluziiĝo
vi milde proksimiĝis enen.

En la koro de espero
vi feliĉe ĉirkaŭbrakas min

Mi estis tro malforta
en via mallumo

Mi estis superĝoja
en via lumo

Via mallumo konis nenian maljustecon
Via lumo konis nenian malesperon

Ĉiam por morgaŭ
Vidante vin antaŭeniri kun pacienco
Mi estis tro malforta.

Revivo

Mi vidas la kavon de peko.
La mondo estas kovrita per malbono
Koro iranta al espero,
Ĝi subite fariĝis semo de malespero.

Mi vidas la kavon de peko.
La mondo estas kovrita per malbono
Ago por bono
Subite ĝi fariĝis la radiko de malbono.

La semo de malespero, la radiko de malbono.

Ĝi estis vere rapida.
La fajro de koro
fariĝis malvarma glacio

Ĝi estis vere rapida.
La bonema Ago

fariĝis kiel la gardanta diaĵo de malbono

En mia koro
kiam glacio malmoliĝas
Dio venis al mi kiel plena lumo

En mia koro
arda varmo kapturne brulas.

Ah! Ĝi estis la lukto de la vivo, la doloro de la vivo.
Ĉu la glacio povas degeli por momento?
Estis terura ruĝasango en koro.

Ah! Vere ĝi estas la lukto de la vivo,
Estis la doloro de la vivo.

Dank'al la brila lumo
Momenta doloro degelis.

La koro, reveninte al nova vivo
ĝoje kuris.

La ago, revenante al vera libereco
ĝoje kuris.

Ĝi estas espero, ĝi estas sopiro, ĝi estas fido.
La ĝojon mi reaĉetis

Ĉielo

Blankaj nuboj
super tiu monto
La ĉieleto palpebrumas al mi.

Kristala klara formo
kiel bela floro
La ĉieleto mansvingas al mi.

Pro ferocaj malhelaj nuboj en la vento
koro estas disŝirita
korpo estis disĵetita

Tenante la signifon de la ĉielo
en viaj brakoj

Vi ridetas al mi kun tiu malproksima espero.

Letero nomita aŭtuno

Estas aŭtuno
Letero kun via nomo alvenis.

En ĝi
la bidoj salutas min
la folioj bonvenas min.

Freŝa herbodoro
bonodora akvosono
De la vestoj de la arbo, kiuj ruĝiĝas ĝis elĉerpiĝo

Li estas sincera
dum li pentras misteran hejmurbon.

Mola kanto de du griloj
Kiam ĝi eĥas ĉirkaŭ li

Letero nomita aŭtuno
punktas finaĵon.

1982 verka konkuro bona premio

Sopiro al unuiĝo

Spurojn de mia sopiro
enterigu en ĉi tiu loko
por la eterna nutrado de la patrujo
mi volas kreski

Post farigô al stelo
protektante la bluan ĉielon
mi kantas malgranda amkanto

Paŝon post paŝo
mi devas transiri per maltrankvila gesto
malĝoja malĝoja
nia dividita lando!

Kun sangokovritaj okuloj
mi devas ekkri al malĝoja stelo
malfeliĉa malfeliĉa
nia rompita lando!

Nun
mi forgesis la kanton, kiun mi kutimis nomi mian gorĝon krevi
Mi nur nekredeme rigardas la bluan ĉielon.

Ĉiufoje la steloj malleviĝas unu post la alia
Kun iom da malgajo
mi denove rigardas mian hejmurba ĉielon.

Tamen
tagon post tago
serĉante la velkan sonĝon de unuiĝo
mi kviete trairas la teron ĉi-nokte.
Mi staras apud la Han Rivero.

Ankoraŭ
mi ne povas forgesi
forte kunpremas ambaŭ pugnojn.

Nia ĉielo desegnita de la sunsubiro
estas tro bela

Atendenda memo

Dum mi atendas iun
Ĉar mi plantas sopiron en mia koro
Ĉio aspektas pli kaj pli bone.
Kiun mi renkontu?

Dank'al la fakto, ke ni estas kune
Se mi povas konservi rideton
en la parolema moderna mondo
Nur rigardi ilin ĝojigas min.

Kiam mi foriros hodiaŭ por trovi min
Mi iru kun iu.
Mi certas, ke mi ne multe seniluziĝos.

Silenti sole donas al mi iom da malĝojo
La homoj, kiujn mi renkontis atendante
Memo bezonas unu la alian
Tiam mi vidas mian veran memon.

Favoro

Al li
mi sentas ion.

Nevidebla amo

Mi vidis lin en la ĉielo
Krome
Ni ankaŭ renkontiĝis en la lando de mizeraj homoj.

Mi pensis, ke ĉiu ne fidas lin
La sincereco, kun kiu li flustras la tutan nokton

eĉ en plena taglumo
kiel la ĉielo estas viva

Kanto, kiun vi kantas la tutan nokton

Al li
Estas potenco de la nekonataĵo
kiu ne povas esti transgredita.
Cikado

Infanaĝe
somero estas tre brua.

Montoj kaj kampoj, kie mi ludis
ien ajn
mia karulo bonvenigas min.

Batala linio kondukas en la ĉielo
Eĉ en ĉi tiu forlasita loko

Kian malĝon ĝi ne scias
senĉese la cikado krias.

Patrino!
Se tiu krio fariĝus feliĉa kanto de unuiĝo

samlandano en la sudo kaj en la nordo
volus brakumi kaj danci

Silenta mateno

Nun
steloj disfalas unu post la alia.

Mi veturas dolorajn memorojn
al la steloj.

Senvorte
mateno malfermas la pordon.

Sur malproksima monto
sunlumo ekvidas la mondon.

Patrino!
en silenta mateno
mi volas doni al vi iom da espero.

Ĉar mia koro estas malriĉa
mi iom post iom plenigos la malplenan
spacon per sunlumo.

Migrantaj birdoj flugas

Kvazaŭ la ĉielo sur la batallinio estas nigra tero
ĉi tiu trankvila nokto staras senvorte

Tiu, kiu migras laŭ la sezono
venas al la unua linio kun bonaj novaĵoj.

Tempo pasas vane
Ĉi-nokte la migranta birdo flugas denove.

Tiu, kiun mi amas
tenante bonan novaĵon en sia buŝo

ĉirkau trankvila batallinio
vagas ĉie

Sopiro

Malgraŭ mi sopiras vidi
kion mi ne renkontis
estas pro la vera sopiro.

Kvazaŭ la matena vento envolvus la teron
al malvarma brusto
mi blovdonas varmajn emociojn

Sopiro estas
eĉ se vi havas buŝon, vi ne diras
sed
estas pacienci.

Sen celo
ne estas kanto farita
Sopiro, kiu tuŝas la ĉielon

Ĉi-nokte
al vi
mi transdonas silentan koron.

Nia lando

En la malgaje dividita lando
kiel ŝvito gutas laŭ via dorso
estas doloro kiu venas silente.

Inter nevideblaj limoj
ĉi tiu tero sentas sin kiel ĝangalo
por tiuj, kiuj grumblas ene

Kun ĉiam dolora kaj malfacila vivo
mi devis suprentiri la rubĉaron kaj grimpi supren.
Al la lando de niaj malsanaj najbaroj

Kun mono, kiu ne povas esti elĉerpita je elspozo
eĉ por tiuj, kiuj flirtas kun ekscito sin
panjo ĉiam mansvingas kun sameco

Sub la ombra barilo malantaŭe
aro da matena gloro kiu ŝvebas

potence
ĝi grimpas la muron kaj venas al niaj koroj.

Vero parolita en signifo antaŭe
vivo kiu ne esti mezurita de la sekulara gaje
ni estas dividita per la koroj

Ploru kiom vi volas kie ajn vi volas plori
Ni ridu ĝis nia stomako eliras kie ni volas ridi.
Tenante tiujn etajn verojn en mia koro
nia land produktas belajn florojn.

Malĝojo kaj ĝojo fariĝas teksaĵo
kie ĝi estis bele brodita
nia vivo ripozos tie
tiu estos nia feliĉa lando

Plezuro

En la mezo de aŭtuno
esti kun li estis alia ĝojo.

Mia propra spaco
mia amanto, amo, tempo.

Legendo

Bela
estas rakonto.

Havu bonan koron
Ĉar ni trovis trezoron kaj dividis ĝin
unu kun la alia

Handikapo fariĝas normalulo
Blinduloj malfermas la okulojn

Fine
boneco triumfis.

La malnova rakonto
jen kiel ĝi estas transdonita.

Al ĉiuj
faru nur bonajn kaj bonajn agojn

Hodiaŭ ni kreos novan rakonton.

Ferio

Subpremita koro
unu post unu peco en mi
en momento, ĝi rompas de ĝojo.

Vi faris multon.

Familio kaj amiko
por lavi la pekojn, kiujn mi ne povis trovi
mi rapidas al mia hejmurbo.

Ĉu vi ĉiuj estis komfortaj?

La vigleco de ĉiu socio
Mi sentas ĝin en mia koro.

Ankaŭ al mi ne multe restas.

Post protekti la teron de la patrujo

Adiaŭo

Disiĝo
estas bele ĉar ni renkontos denove

Li venis sendorme
longan nokton

Kvankam hodiaŭ estas malfacila paŝo
morgaŭ
ĝuu kaj estu amika.

Adiaŭo
neniam, neniam la lasta.

La vivo ne estas tiom mallonga

Hodiaŭ kaj morgaŭ
li facile vokas nin.

Kiu amis min pli ol mi

Pro mia ekstreme egoisma aspekto
mi daŭre malamas min.

Kiel birdo fluganta libere en tiu blua ĉielo
se mi povus flugi tiel
mi povus eskapi de mia kastelo eĉ iomete

Kun la amo, kiu la universon povas krei
ricevante la misterojn de la naturo tra nia korpo
sur tero kiel la frukto de la historio ni staras

Dio amis min pli ol mi
En la varma spiro de la Sinjoro
mi daŭrigas mian vivon

Guto da aero, guto da akvo
al ni, kiuj soifas eĉ je unu sola

sunradio
li mistere protektas nin sekuraj

Por ke ne plu zorgi
foje ŝtormo, foje sekeco
en la fluo de la historio kiu malĝoje
daŭriĝis

Dio amis min pli ol mi
En la malfacilaj vivoj de homo
li esperas feliĉan estontecon

Ke ekzistas espero por la homaro
Sinjoro informis min per la ĉielarko
ke niaj vivoj estas tiel belaj

Lukto de unuiĝo

Mi volas vidi vin.
Amemajn vizaĝojn
sur la aviadilo de amo
en la landon de samlandanoj
ni iru por planti pacon.
Lukto de unuiĝo
Vivu liberala demokratio!

Poeto

Al li
malgranda krajono
ĉiam estas ĉe mano.

Lia
tuta skribo
fariĝis kanto
Ĝi estas ĉizita sur lia brusto kaj kuras ĉirkaŭe.

Sen ia papero
lia brusto
ĝi estas sorĉa.

En la tuta ĉielo kaj tero
li
svingu viajn okuletojn
Skribu amon kaj forĵetu ĝin.

La vivo estas tiel bela, kiel poeto ĝin desegnas.

Revo

Eĉ en la longa nokto
vivo dancas
seriozan dancon.

Eĉ en la perdita idealo
mi kuras
super la teron.

Ĉar mi estas feliĉa
monda koloro estas
kolora iriza.

Eĉ amo kiel malĝoja pejzaĝo
donas al mi unu kanteton

Mallonga vivo
la malfacilaĵo superfluas
mi devas venki la realon.

Stelo

En la ĉielo
ĉiam
espero spiras.

Al malĝojuloj
brilanta rideto
plantas varman amon profunde en via
koro.

Al la feliĉaj
kun brila kanto
por disvastigi ĉiun ĝojon de homo

Ĉi-nokte
eĉ griloj hurlas

kun silentaj krioj
li kriegis amon

Vero

Mi volas diri, ke ĝi estas mensogo
Estas io ĝusta.

Ĉe tagiĝo,
la suno leviĝis post vekiĝo el sonĝo

En la malluma koro
ĵetu la lumon kaj staru atendante.

Vivo estas bela
ĉar ĝi estas pura.

Ĉiutagaj paroloj kaj faroj
se vi repaciĝas kun amo

eĉ en malluma nokto sen steloj
flosas la vero

Kun feliĉa kanto
ĝi fandas la universon bona

Espero

Vidante la realaĵon
mi ne deziras ĝin.

Kio estas vere grava
ĝi estas altvalora ĉar mi ne povas vidi
ĝin

Nia amo disvastiĝas kun espero.

Hodiaŭ estas malĝojo
Mi disiĝas kaj rigardas vin

Morgaŭ estos ĝojo
Mi certe renkontos vin.

Ĉi-vespere,
la steloj aperas kaj benas

Varma kaj feliĉa brusto
brilas brile.

Aŭtuna ploro

Unu tagon en septembro
tenante la puran aeron de la tero en mia brusto
eĉ se mi vagas ĝoje sur la kampo
neniam estos la aroganteco de tiuj, kiuj ĝin havas.

Sur la monteto, mi staras alta kiel la filo de sana nacio
prudence mi preteratentas la aŭtunan verdan kampon
Malglata trejnado nutras min.

Kiajn pozitivojn vi havas
hodiaŭ en malvarma aŭtuno?
Super la brusto gravurita kun ĉielarkaj floroj
brila espero por la estonteco leviĝas.
Malfacilaj tagoj kreskigas min.

En miaj songôj
nek la norda ĉielo nek la suda ĉielo
havas limojn.
Unu sangofrato kiu ekzistas dum miloj
da jaroj
Eĉ se birdoj flugas
hodiaŭ ni staras kaj ploras.

Lamplumo

Je rankvila montara templo
lumigu etan nokton
pli malgranda lanterno

Veron alvokanta legsono
lanternoj lumigas la nokton
en silenta kapelo

Malvarma roso
ĝi kovris krestan tegolon
Ĉi-matene vekiĝas templo

Trankvila signifo
per malgranda frapo komencu la tagon
pordego de savo

Vero estas lampo
Iun tagon
mi trovi min per lanterno

Morgaŭ

Kanto flosanta en la fluo de pensoj
kiam ĝi preterpasas lumigante ĉi tiun nokton

dum morgaŭ freŝe fariĝos hodiaŭ
ĝi fariĝas manĝeto por agrabla vivo.

Por fariĝi mi kion mi volas
por atingi tion, kion ni volas

ni konstruu morgaŭ kun hodiaŭ kaj revoj.

Kun amo, kiu plenumas en la tempo
se ni malsekigos niajn korojn

La tago, kiam mi neniam estis soleca

kun ĝojo kaj sincereco
ni kune remu boaton de nova espero

Trankvila revolucio

En ĉi tiu tago
mi volas vidi la bluan ĉielon.

Preter la nigra kamentubo fumo
sufokanta vivon

en la malluma lando, kie la steloj estas mortaj
mi fariĝas malgranda kandelo, kiu brilas
por ŝvebi al la ĉielo

Subtile
silenta krio kiu trapenetras

savu la stelojn
Mi volas vidi la ĉielon

En ĉi tiu tago
kiel vera homo
mi devas stari sur la tero.

Grafitio

Malgraŭ mi ne volis diri
falantaj vortetoj

En la bedaŭro mi volas lasi kiel spuron
de la tago
sur senfina ĉielo
mi flosas ĝin, mia sola koro

Patrujo, lando, soldato
La lingvoj de ĉi tiu nokto rapidas inter
la stelo

Kun la kanto, kiu ridetas hele en la
mallumo
la vojo de vivo en fortaj ondoj
mi remas ĝin flue

Ni renkontiĝas per malgranda filozofio
kun vero
Mi volas esti ion feliĉe

Soleco

Ĉe la rando de la etaj tagoj
kun soleco mi ne scias
tempo pasas

Ĉar mi devas fari ĝin
mi iras vojon eltene

Vi kantas per longa kanto
altvalora amo

Nun la luno brilas kiel plenluno
vi venas al mi kiel luno

Homoj
fariĝas homo per amo

Mi renkontis lin kun tre varma koro
Mi volas doni min al vi kun multa parolado.

Jen mia paŝo en mia vivo
Mi volas renkonti vin en mia vera formo.

Ni iru hejmloken

Ni vivu sur ĉi tiu tero
nia kara najbaro

Solvu kaj fandu la malĝojon interne
Fumu ekstere la odoron de amo
Sopiro kunveni

Ni trovu en mi la kaŝitan trezoron
Forigu la obtuzecon de la gemo
kun muelanta trejnado
Faru nin

Nun ni parolu iomete

Vidante aferojn kun larĝa brusto
sur la boato de amo
veturu mian najbaron
nia bela lando,
ni iru hejmloken

Legenda morgaŭ

Enuiga tago pasas.
en ĝi
donu signifon
grandaj vivplanoj
ornamu ĝin

Tio, kion hodiaŭ kune faras
estas legenda morgaŭ

Por tiu tago
eĉ se ni ŝvitas iomete
mi disverŝu

Kiam via koro ploremas
desegnante vian naskiĝurbon
pensu pri viaj junuloj, kiuj venos post vi.

Kun trema timo
ni marŝu hodiaŭ.
Meze de enuiga tago
ni venku per nia amo.

En aŭtuno

En ĉi tiu aŭtuno
mi revas pri vojaĝo al mi mem.
Konstruante fortan esperon en mia koro
mi devas marŝi paŝon post paŝo.

Ĝi ne ĉiam estas la sola fino
revenante kun la Sinjoro
Se estas tempo de respekto
eĉ pli bone

Amu la ceterajn tagojn
La strato estas kordo de amo
Ĉiun eta tagon
mi devas ami vin.
Eĉ sen la nomo de la Eternulo
niaj helaj koroj
eĉ se vi ne montras ĝin
la beleco de fido
ni devus esti pli maturaj ĉi-aŭtune.

En la vento de la Han Rivero

Portante malgrandan kaj malpezan lunĉujon en trankvila tago
staru apud la Han Rivero.

Fronte al la fluanta Han Rivero
ŝajnas, ke la bloko en la vivo estis malfermita.

Trapasante la arbaron de la Han Rivera
pontoj kiu etendiĝas unu post alia
La koloro de la boato, kiu malofte aperas
estas tre bela

Estas profunda verdo inter la apartamentoj.
Aŭtoj la grandeco de alumetujo foje vidiĝas.

La blankaj nuboj kiuj malrapide preterpasas dormetante
En la blua ondo de la Han Rivero kiun ĝi kviete rigardas

Sekvante la venton, trankvilaj rakontoj fluas sen halto,
kvazaŭ la mondo iras tiel.

Hejmurbo de la koro

Je la sono de birdoj kaj akvo
eĉ la nokto estas nova
koro en la urbocentro
Ni larĝe malfermu ĝin
La mateno ridetas
Mi bonvenigas vin
naskita en la naturo
Malsana korpo en la mondo
kun unu koro
Se vi serĉas la veron
ĉi tio estas la hejmo de mia koro
Ni laŭte ridu

La senfina maro

Sekvante la finon de via netrudema rigardo
eĉ rigardante malproksimen
Servite kun la malvarmeta mara brizo
nur la fino de la blanka kaj densa nebulo pendas.

Ĉe la horizonto kvazaŭ falanta
de kiu tago, fiŝkaptista boato flosanta soleca
Kion ĝi serĉas kaj kie ĝi iras?
Ĝi pentras cirklon laŭ la blua ondo kaj malproksimiĝas
Mia boato en mia rigardo ankaŭ estas soleca.

Ekvido de vivo en la blanka ŝaŭmo
Ĉiufoje, kiam ĝi antaŭeniras, ĝi fariĝas blua
Rigardante malsupren de la 3-a etaĝo
postlasante la teruran doloron
mi turnas miajn okulojn al la malproksima suno

En Dongĵak-dongo

Magnolio kiu floras ĉiujare
forskuu la solecajn spurojn kun tuta koro
En ĉi tiu sezono tio fariĝas ruĝa
Posteuloj de ĉi tiu lando
Dongjak-dong monteton portante malgajan bruston
mi grimpas la Nacian Tombejon.

Karuloj kiu kuŝas sen voĉo
konservas ĉi tiun monton kaj riveron plorante
Mi resanigas la doloron per floroj
Kiel magnolio, kiu floras ĉiujare
Malĝojo floras tiel.

Sanga lando
ekonomio leviĝita per ŝvito
La burĝonoj de demokratio formiĝis tra

larmoj
Alfrontante la embuskon nomita la IMF
En niaj ŝanceliĝantaj vivoj
ĉi tiu monteto, kiu leviĝas por trovi iom da espero

Vivu tiel
Kuru tiel
Protektu ĉi tiun teron, savu la ekonomion
Flori demokration
Ni vivu tiel denove
Kuru tiel denove.

Vivo

Ne estu malfeliĉa. eĉ se la vivo estas malĝoja
Ne estu soleca kiam vi sentas vin sola
Ni ĝuas eĉ la malĝojon de soleca vivo

Ne ploru sur la soleca vojo de la vivo
Ne gravas kian suferon vi devas elteni
Ni ĝuas eĉ la doloron de malfacila vivo

parto II

post 2000

Ĉi tiu aŭtuno

Ĉi tiu aŭtuno
Mi volas pensi pli.

Amo kaj vivo
aŭskultu pli belajn kantojn en aŭtuno

maturaj kaj prosperaj
pri nia historio

Ĉi tiu aŭtuno
Mi volas fari pli da amo.

Amikeco kaj sopiro
estante trempita en la odoro kiun povas doni aŭtuno

Kunhavigi kun vivpartneroj
nia mola kaj varma amo

Rigardante la flavajn spikojn de rizo flirtante
en ĉi tiu aŭtuno, kiam mi sentas mian koron superfluanta

Nia vivo
nia historio
nia amo
mi volas renkonti ĝin pli serioze.

Miksaĵo de doloro kaj ĝojo
kie malĝojo kaj ĝojo kruciĝas

tiu brila
vivo, historio kaj nia amo

Ĉi tiu aŭtuno
Mi volas sperti ĝin pli profunde.

Grimpadon al la monto

Dum grimpado en la malvarmeta sunlumo
kiam venas la sufoka doloro
mi paŭzas momenton sur miaj lacaj paŝoj.

Dum suferado de la krucumo
kiam la Sinojro supreniris la monteton de Golgota
dolora malvola marŝo kiu daŭras
tio estas vojo de la Kruco.

La senpeka filo de Dio
sur la malfacila marŝado Li trapasas
por kompensi miajn pekojn
Prefere, mi nur malĝojas pro mia malrapida sino.

Li estis trapikita pro niaj krimoj.
Li estis dispremita pro niaj malbonagoj.

Lia puno alportas al ni pacon,
per liaj vundoj ni resaniĝas.

Eĉ se la doloro de la realo rapidas super min
eĉ se la tentoj de la mondo kuras al mi
mi povas venki pro la amo, kiun mi ricevis

Eĉ se la miskomprenoj ĉirkaŭ mi elverŝas
eĉ se fizika doloro venas al mi
mi povas venki pro la amo, kiun mi ricevis.

Prenante la Evangelion kaj marŝante ĝis la finoj de la tero
en mano etendante niajn najbarojn kun amo
plena de ĝojo en la animo
La disvastiĝanta novaĵo pri savo ĉiam estas esperplena.

Publikigite en 15-an de julio 2006

Per fido

La Sinjoro kredis al mi.
Vi donis al mi Vian solenaskitan Filon.

Mi kredas je la Sinjoro.
La Sinjoro min savas.

La Sinjoro vokas min.
Ankaŭ mi kuros al Vi.

La Eternulo verŝis Sian sangon.
Vi donis al mi savon.

Mi amas la Sinjoron.
La Sinjoro min savas.

La Sinjoro bonvenigas min.
Mi iros renkonti nur Vin.

Seunghwan ĝojos

Ĉar vi aspektas bona
Ĉar vi estas saĝa

Ĉar Vi estas bona pri tekvondo
Ĉar Vi estas bona pri la ludo

Ĉar vi kapablas ludi bone
Ĉar vi kapablas desegni bone

Ĉar Ankaŭ vi kapablas ludi je legoludilo
Ĉar vi ankaŭ estas bona je Jutubo

Ĉar vi havas panjon kaj paĉjon
Ĉar vi havas multajn pli maljunajn fratinojn kaj pli junajn fratojn.

En la lasta monato

Kio jam de unu jaro mankas spiro
Ne estas mia malfacila laboro
Mi ankoraŭ volas postlasi ion
Mi volas fanfaroni
Se mi memoras la amon de la verŝita sango
ĉio, kion mi vidas, estas mia senlime mizera figuro.

Vidante sennombrajn animojn mortantajn
malsukceso komuniki la amon de Dio
rigardante neniun, kiu ne rilatas al mi
Ĝi fariĝas mia hontinda doloro
Ĉi tiu kompato estas mia kompatinda aspekto.

Ĉiu persono, kiun mi renkontas
kvankam mi traktas vin per la amo de la Sinjoro
por tiuj, kiuj ne scias

kvankam mi scias, ke ĝi estas nur pasema plendo
pro la Sinjoro de la kruco, kiu devas esti predikita
hodiaŭ mi retrorigardas la animojn de miaj najbaroj.

Ne estas multaj tagoj donitaj al mi ĉi-jare
Kvankam mi sentas la rapidecon de la tempo
ne fruktodonan kaj ne rikoltan mem
Postlasante la malgajajn cirkonstancojn de mia animo
ni antaŭĝojas denove la novan jaron.

Mi denove plugas la kampon de mia stagna koro
Semu la semojn de la amo de la Sinjoro
La burĝonoj de la anima savo floras en mi
Tridek fojojn, sesdek fojojn, cent fojojn
Mi volas doni pli da frukto.
Publikigite en la 8-an de decembro 2007

Nova decido

Ni ĉiam pene laboru
Ni plenigu la donitan tagon ĝisfunde
kaj vivu sen bedaŭro

Ĉiam renkontante novajn homojn
eĉ se vi ĉiam akiras scion per novaj
libroj
ne riproĉu vin, ke vi ne ŝanĝiĝis.

La tago donita al mi faras min
kiam la tago finiĝas
mi volas vivi, por ke mi feliĉe fermu la
okulojn.

Ĉiam tenu vian ĉirkaŭaĵon pura.
por ke mia malplena sidloko ne
malordiĝu
Sen mi, iu alia devas transpreni.

Post tio, ĉio simple sentas malĝojon.
Ni koncentriĝu nur pri hodiaŭ, kiu estas pli bona ol hieraŭ.

Ne finiĝu per nova decido
Daŭre vipu min.
Do mi estas feliĉa.
Mi vivas feliĉa ĉiutage.

Ke homo mortas

Famulo faris memmortigon pro akuzoj pri seksĉikanado.
Diru adiaŭ al ĉio, kion vi ĝuis
Li forlasis longan vojon

La ceteraj estas tiel kompatindaj.
Lia familio estas tiel malĝoja.
Ĉiuj, kiuj interesiĝis, surpriziĝis.

Por eviti ke tio okazu
antaŭkonstrui homaran scion
Fariĝi socio en kiu etiko kaj moralo staras rekte
Ni pripensas nin mem pro tio, ke ni tiom okupiĝas pri konkuro.

La tuta streĉo, kiu kaŭzis mensan elĉerpiĝon
nun ni devas malakcepti ĝin.

Ni devas forlasi la indiferentecon, kiu preteratentas la maljustecon ĉirkaŭ ni.

Kondamnante malpurajn seksajn praktikojn
kiu mokas individuojn dum parolado pri la interesoj de la grupo
ni devas krei mondon kie ĉiuj povas vivi bone

Ĉiuj ŝanĝiĝas

Oni neniam faris tion antaŭe
Homoj daŭre ŝanĝiĝas.
Ne, mi ŝanĝiĝis.

Ĉu vi asertas vin nur pri la plej malgrandaj aferoj?
Ignorante la intencon de la parolanto
ĉu vi nur emfazas viajn proprajn vortojn?
Ne estis tia en la pasinteco.

Dankon pro diri al mi
Mi ŝatis nur pro via interesiĝo.
Nun, ke mi pravas, mi diras al vi, ke vi trankvile sekvu min.
Mi kondamnas vin ke kial vi levis la diskuton?

Aliflanke, kial mi farus tian aserton?

Ĉu ĉar mi estas aroganta nur ĉar mi estas prava?
Ĉu ĉar mia amo pligrandiĝis?

En la pasinteco, mi respektis vian eldiron krom se ĝi estis malĝusta.
Nun, kiom ajn vi diras ĝin, mi parolas nur por mi mem.
Ĉu mi ŝanĝiĝis, kiu ŝanĝiĝis?
Ĉiuj ŝanĝiĝas

Adiaŭa letero

Estas multaj disiĝoj, do renkontiĝo ĉiam estas refreŝiga.
La doloro estas tiel granda kiel la ĝojo
La ĝojo estas tiel granda kiel la doloro
Mi ne parolis pri eterneco
La adiaŭo, kiu venis silente

Pardonu. Mi ne povas vidi vin kun la ŝarĝo de mia koro
Mi bondeziras vin

La svelta voĉo aŭdis tra la telefonaparato
Ĝi donas profundan senton de malpleneco al la brusto.
Kio mi estis por vi?
Kun tia zorgema kunveno
Amuza tempo pasis
La vivo estas tiel kvieta

La diversajn intersekciĝojn ni vidas sur nia vivo
Kie ni renkontas ĉiujn
Tenante ĉiujn renkontojn kun rideto en via koro
ni transiru la vojon feliĉe.

Kion mi volas diri al vi
mi deziras ankaŭ al vi bone.

Sekreta deziro de la Armistico-Linio

Envolvite en la nokta nebulo
profunda monto
kiu valo

Nur la sono de birdoj kiuj perdis sian
vojon solece kaj malĝoje
transdonas la sopiron de la nacio.

Sub la krepuska lunlumo
profunde dormita
nia lando

Peco de malpeza vento blovanta de
malproksime
porti iom da espero

Por la naskiĝo de senhonta tagiĝo
kiam la nigra mallumo malaperis pigre
la sekreta deziro de blanka mantelo kiu

vokas kun la tuta korpo

Fera ĉevalo, ankoraŭ haltita kun la dorso fortranĉita
Malĝoja legendo devas finiĝi.
Lando kiu protektas dum 5 milo da jaroj
La ĉielo, kiun desegnas la sunsubiro, estas tiel bela.

Matena homo

Post la vespero
tra pene nigra nokto de sufero
la matena homo, kiu finfine staras
sur la paŝoj de la leviĝanta tagiĝo

Meze de doloro kaj sufero
kiel bela ununura floro floras
refreŝiga mateno
tiu brila matena homo

Ĉar estis longa tago, kun pli granda signifo
venu antaŭ ni kaj fariĝu ni
forsitio, azaleo, printempa festeno
Ĉu mi malfermu ĉion samtempe?

Post la vespero
venkante la malĝojon, kiu fontas el interne
la matena homo, kiu finfine ĝojas
Nia vizio estas klara kaj blua

Ĉu vi volas veni

Estas malfrue en la nokto
Ĉu vi volas diri al mi!

Tiu sono, kiu vekas en la tagiĝo
Ĉu vi ankoraŭ ne povas aŭdi ĝin?

Forte neĝas
Neniu signo de malsano estas

Vi
Ĉu vi povas spiri komforte?

En la malĝojo tion ne povas esti helpita
kun ŝvelintaj okuloj
Doloro elverŝiĝas denove

Estas malfrue en la nokto
Ĉu vi volas diri al mi!

La sono de la steloj floras en niaj larmoj
Ĉu vi ankoraŭ ne povas aŭdi ĝin?

Floru, junulo

Sur la nova strato
superplena de juneco
en okulfrapa kaj bela robo
ĝi estas floro de rido, kiu floras duope.

En nova menso
vigleco eliras
En bela, afabla kaj pura intelekto
estas brila estonteco antaŭen.

Iu, kiu maltrafas
Espero por la nacio
Floru, junulo

La strato, kiun vi kaj mi konstruis
nova loko farita kun koroj
esperu, junulo

Bruligu kviete
sur la strato de nova loko
nova korkanto

Vojo al nova loko

Vagi ĉirkaŭe
kiam vi falas laca
Mi levas la kapon serĉante mian naskiĝurbon.

Kiel la deirpunkto de nova kulturo
starante fiere kiel la posteulo de nova tradicio
mi proksimiĝas esperon

Brakumu la teron per via tuta forteco

Beleco, kiu originas ĉi tie
La juneco ĉi tie floranta kreskas
Ĝi estas brila espero por ĉiuj

Brakumu la veron per via granda blueco

Vagi ĉirkaŭe
kiam vi falas laca
Mi iras la paŝon serĉante mian naskiĝurbon.

Ĉiam en miaj sonĝoj

Mi nur fermas la okulojn
en la strata vivo de deziro.

Foriru de mi, kiu sentas sin nur malgranda
Etendu miajn grandajn flugilojn pli
Demetu mian pakaĵon
Lavu mian maskon
Ni sentas nian mondon per niaj du koroj

Tia mirinda mondo estas
ĉiam en miaj sonĝoj

Malamante iun tiom multe
mi milde fermas la okulojn.
Unu mondo tia, unu mondo tia
sur iu vojo en la vivo

Vivo, kiun mi ne scias, kio ĝi estos

Lasu la malbonan egoon
Mondo kunigita de amo

Tiu bela sonĝo realiĝis
ĉiam en miaj sonĝoj

Vojo iranta al la koro

Nuboj fluas
ĝis la profundo de mia koro

kun la koloro de amo,
kaj plena de sopiro

Birdoj flugas.
En la malgranda ĉielo

kun kanto de espero,
kaj amo de tutkoro

Kun amo

Belaj rozoj ornamas la teron
Roza bonodora odoro eĉ malsekigas la koron.
mi volas vidi ĉion kun atendo al mia karulo.

Ĉiuj estas ĝentilaj en la urbo en kiu vi estas
Kiom ajn fojoj mi rigardas vin, mi ne laciĝas pro tio
Estas strange, mia koro, kio estas amo?

La muziko estas bela, mi aŭskultas ĝin ripete
Mi ŝatas la bildon, mi denove rigardis ĝin
La menso fariĝas klara kaj la mondo fariĝas hela.

Preterpasantaj nuboj

Tiel iras!
Ne, mi povas vidi la malhelajn nubojn tie.
Spuroj mildaj kiel ŝafo
sekvante ĝin
la mondo speguliĝas ĉie kie la okuloj restas

Homa agado, kiu deziras ion
Fandiĝas en la mallumo
reva beleco
Mi volas ĝui ĝin.
Mi volas akcepti tiun mallumon.

Ĝi nur iras tiel.
Fluante sen ia avideco
voĉo krianta laŭte
faliĝas en malgrandajn pecojn trans la nuboj

kaj implikiĝis ĉirkaŭe
Kiel unu estas multaj, kiel multaj estas unu

Akiru ĉiujn specojn de malpureco
kaj elspiru esperon
preterpasantaj nuboj vokas min kviete.

Vivante sekrete kiel stelo

Sur la stelo, kie ruliĝas la eta princo
malgranda rozo
Mia koro doloras.
Memoroj en viaj okuloj
Mi devas spiri tiun odoron

Mondo, kiu kantas kiel stelo
Malgranda sed profunda sopiro, kiu
trafas ĉies orelojn
la amon, kiun mi sendas al vi
la amon, kiun mi sentas de vi

Nia espero vivi sekrete kiel stelo
Sur la vojo malantaŭ la furiozaj ondoj
de la vivo
eĉ spirado estas malforta.

Mia varma koro, ĉi tiu mondo, kiu ne
povas dormi

Spiro kiu ekbrilas sen ripozo, milda kriego

Vivante sekrete kiel stelo
manĝu niajn dezirojn
la ĉielon ĉiuj rigardas
Tiu brila rideto ridetas

Azaleo

Naskita en la mondon kun purpura odoro
Alproksimiĝante al ni serĉante radion de amo
sentu la valoran belecon per via tuta korpo

Juna kaj longa espero ĉe la verda ĉielo
En la brulanta aprilo, tro pura estas la signifo
Sopiro kiel sango, kiu venas el mia koro

Venas malluma nokto

La nokto venas sen sono.
Dolora vojaĝo
vaganta paŝo serĉante ripozejon

Iru kaj iru, en la senfinan mallumon
Mondo kie ni devas vivas
Forgesante la solecon de la tago
ripozu kviete

Paŝoj, kiujn mi volas returni
Tamen, kanto por brakumi kaj saluti
sopirante morgaŭ
malgranda lukto de espero

Unu tagon
ripozu sen bedaŭro
preterpasante ie
Vi donas al mi forton por leviĝi eĉ el
la malespero de la vivo

En pecnigra mallumo
ni malaltiĝas senfine
do rekomencu de nulo.

Ĉe la rivero Han

Super la ondoj briletis kiel fiŝskvamoj
rapidema hirundo ŝvebas ĉirkaŭe.

Unuflanke, pontoriperado estas okupita
Naturo nur kviete rigardas.

Mondo, kiu fluas kiel akvo kiel la vento
lasu kvindek mil pensojn
aŭskultu la obskuran melodion
transdonitan de la rivero.

Memoroj

Diri, ke mi vivas trempita en kanto
mi neniam sciis, ke ĝi estas vera feliĉo
Dum la jaroj pasas, mi sopiras tiun tempon

La tagojn, kiujn mi vagadis serĉante ion
eĉ se ĝi sentis malmola kaj enuiga tiutempe
estas nur unufoje, ĝi estas bela memoro

Espero venos kiel tagiĝo

Tuj kiam mi vekiĝas, bela mateno
alia mondo nova vivo

Io bona estas okazonta
Kredu je la eta antaŭsento
mi forte ekiras je la tagiĝo

Returnante la malĝojon hieraŭ al la pasinteco
bonvenon al hela kaj esperplena mateno.

Kvankam la doloro de la pasinteco kreskis
malfermante angulon de mallumo
bonvenon la poeto de hodiaŭ nomitan

Venku la labirintan mallumon
instruante esperon

Mi vekas la egoon, kiu daŭre sinkas en
mi
kaj kantas daŭre
por hela nova mateno
kun trumpeto de espero

La lando, kiun mi sopiras

Sur la tero, kie mi kreskis
verda sopiro kreskas.

Esperante vivi kun pli grandaj revoj
la altvalora vero floras kiel nebulo

Transirante la krudan monton de vivo
kiam ajn mi estas laca kaj soleca
koro revenas

Mia kara lando
bedaŭrinde bela hejmurbo de sonĝoj

Ĉiumatene kun nova koro
mi povas flari tiun feliĉan odoron
Ĉiu najbaro, kiun vi renkontas
altvalora vizaĝo

La infano havas tiajn brilajn okulojn.

La malvarmeta matena aero
Sentu ĝin per via koro
al tiu nekonata lando

Pureco, kiu ne velkas kiel stelo
vi ĉiam devas trovi ĝin.

La blua ĉielo disĵetas iom da sunlumo
en aŭtuno, en la riĉa tero

En la lando, kiun mi esperas
Nur amo povas spiri.

La blua ĉielo estas tiel malĝoja

Kun malĝoja koloro
la ĉielo, kiu tiel pentriĝas

Mi ne povas forigi la malĝojon, kiu
estis subpremita ene
Rampanta muĝado
ĝi estas malhela krio

Nian vivtenon
aŭskultante malĝojajn kantojn
legante malĝojajn larmojn

Sulkiĝinta frunto
La sopiro, ke la blua ĉielo daŭre ploras
malĝoja doloro en la gorĝo
al ni, kiuj hodiaŭ ne povas dormi
ĝi donas por aŭdi pli da doloro.

Senmakula klara ĉielo
krio por tiu pura animo
esperiga korobato!

La ĝojo de filozofio

Por esti besto, via menso restas
Por fariĝi dio, vi devas morti
Ĉi tie
estos ĝojo de suspiroj kiel homo

Homoj estas homoj, do ili devas esti homoj.
Homoj devas vivi kiel homoj pro homoj.
Ni devas esti tiaj, kiaj ni estas.

Filozofio estas la vojo
al senesperaj homoj kaj filoj de sonĝanto
malfermita por doni kantadon
ĝi estas ĝojo miksita kun doloro.

Bela popolo
bela homo
loko kie ni renkontiĝas kiel belulo

Ĉi tie
estos ĝojo de suspiroj kiel homo

Urbo krias

Frakasa sono aŭdiĝas.
Mi ne scias, kiun aŭ kion ili serĉas

Aŭdante tiel funebrajn kriojn
spiri tagon estas ankaŭ kriego.

Al ĉiuj, kiuj loĝas sur ĉi tiu tero
al estontaj posteuloj
ĉu mi transdonu la kriojn de ĉi tiu malsana urbo?

Revo vivi en harmonio kun naturo
kialo, kiu pensas en la ĝusta maniero

Mi sentas la doloron de la urbo kiel mian doloron
tia mondo disvastiĝanta ĉie
estas brulanta doloro.

Inter konstruaĵo kaj konstruaĵo
en tiu ondo de aŭtoj kaj aŭtoj
kun la poluo rampanta kiel serpento
ĉi tiu tero devas esti tiel dolora.

En la monda vivo

Homoj, kiujn mi renkontis, ĉar mia koro estis altirita al ili
Ĉiuj havas belan koron
Kial ĉi tiu malĝoja mondo nur doloras mian koron?

La vivo fariĝas pli kaj pli malfacila
Se ĉi tiu problemo estas solvita, ankorau ĝi restas
Iu ajn vivo estus trapasinta tion

Mi pensis la tutan tagon, sed mi ne trovas respondon
Eĉ se mi ekzercas la tutan tagon, ne estas multo atingita
Eĉ ne gravas, kion mi atingas.

Loko de vivo, tie

Kie ajn homoj vivas
roza odoro emanas.

Ne gravas kie vi estas aŭ kion vi faras
La formo estas nur mensogo
La vero estas en la persono.

Kie ni estas
estas revo kaj estas amo
La vivo spiras

Eĉ nun, sur la vojo de la vivo kiel nebulo
eĉ se mi estas laca kaj malsana

malpleno, kiu ne povas esti plenigita sen mi
mi pensas la unikan.

La steloj silente leviĝas kaj silente falas

La arbaro silente staras ĉe ni

En nova vivloko por mi
mi trovas la perditan min

Kiam la vivo daŭre sentas tiel malgranda
pli bela por mi
mi rigardas la naturon

Monto kaj rivero ne videblas sen mi
Steloj estas sensencaj sen mi

Hodiaŭ mi staras brakumante la stelon.
La plej bela loko por vivi, tie

Silento

Vivi per pensado estas multe malfacile
pli ol vivi per parolado
Mi ekkonas ĝin vivante
La nura afero por atenti estas senpripensaj vortoj

Mi povas senti eĉ la plej malgrandajn emociojn
en ĉiu korpo
Eĉ se vi silentas, vi diras sennombrajn aferojn
ne lasu senvalorajn vortojn eĉ kun via buŝo tie

Bruo

La bruo, kiun vi aŭdas nokte
male al la vivo, kiun mi aŭdis en la merkato,
ĝi tute malsamas en kvalito

Kiel sciuro, kiu turniĝaas radon senĉese
movoplenaj
lacaj homoj

Ĉiufoje kiam mi renkontas
Fariĝu torturo por sulkiĝi
Ĝi daŭre malĝojigas nin.

Espero kreskas en ĉi tiu loko, kie ni staras

Mi vivas kaj spiras.
Enspirante belan aeron de la tero
mi staras firme.

En la matena ĉielo, estas gardanta stelo
Ĝi brilas en la mallumo kaj protektas min
kvazaŭ la gardanto de mia vivo.

En ĉi tiu loko, kie mi staras
brula sopiro leviĝas.
Pura pasio, fervora espero
Ĝi Kantas por paco kaj feliĉo.

Mondo kiu apartigas lumon de mallumo
Ĉe nia flanko kie vero kaj mensogo miksiĝas
kriante kompreni kun amo kaj favoro

ni ĉiuj havas tiun sonĝon.

Verdaj burĝonoj sur la tero
Sekvu la sezonojn kaj floras
La burĝonoj de la konscienco, kiuj estis premitaj
floras unu post la alia sen fari sonon.

Rigardu ĉirkaŭ mi
por pli granda mi
Ĉiu homo fariĝas ni
La bando de espero ligas nin
Ni iru al la lando de espero kaj pasio.

Kie ĉiuj estas belaj
brila rideto kovras nian vizaĝon
Mallaŭtaj voĉoj flirtas tra la ĉielo
Espero kreskas en ĉi tiu loko, kie ni staras

Ĉungmugong

Admiralo i Sun-sin!
Nia matena stelo!

Vi estas soleca
eĉ se vi irus sola

Tiu fila pieco kaj lojaleco
brilos eterne
Ĉungmugong

Admiralo i Sun-sin!
Nia matena stelo!

Vi estas soleca
eĉ se vi irus sola

Tiu fila pieco kaj lojaleco
brilos eterne

Iriza espero

Tiun tagon
la ĉielarko estas post la forta pluvo
Ĝi aperis kiel ombro

Ni ĉiuj vidas
kun larĝaj okuloj
etan misteron.

Tio ne estas sonĝo
Mi dankas pro esti reala

Morgaŭ, pli hele
la suno brilos sur nin

Birdoj en la densa arbaro

En la ĉielo, kie la birdoj muĝas
estas tre malfacile trovi pacon.

Kriego kun nenie iri
eĉ kun tiu furioza protesto
la regno de ripozo ne estas videbla.

Birdoj en la densa arbaro
Ili kantas sian propran kanton laŭ sia koro
kvankam ili povas ĉirkaŭkuri kune

Rakonto kiu venas kiel sonĝo en la mezo de la nokto
vortoj kiuj protektas min
Ni iru al la densa arbaro.

Tiu malproksima lando de ripozo
Ĝi mansignalas kaj skribas al ni inviton.

Utiligante civilizacion kiel nian propran

En mondo sen televido
por tiuj, kiuj vivis nur per sono
ekrano estas blanka kaj nigra
Estis nur surprizo vidi.

En mondo kiu ĉirkaŭbrakas min
foto kviete havas mian malnovan memon
En la mistero kreita de tiu maŝino
mi memoras infanan hejmon

Malproksima lando
Venante dekojn da miloj da mejloj trans la maro
bela aminda voĉo aŭdiĝas
Mi pensas pri la malgranda signifo de la telefono.

Kulturo kun homoj
Vidante la spurojn de tiu belega vivo
mi revas pri nova mondo,
kiu ĝermas kun amo kaj feliĉo

Al la amindulo

Mi feliĉas havi vin
La sento de sateco kiun mi sentas pro vi
Ĝi estas superforta feliĉo.

Pli ol iu ajn floro
pli bela ol ajna alia bildo
vi estas mia amanto

Eltenante tiom da tempo
amo kiu estis malrapide konservita kiel ĝojfajro
vi estas la frukto de tiu amo.

Sur mia bruligita brusto
por rebruligi fajreron de espero
vi venas pli fervore al mi.

Mia amanto, al vi, kiu ne estas

interŝanĝebla kun la universo
mi donas al vi etan amkanton.

Eĉ se mi vokas, eĉ se mi vokas, mi ne lacas
en la eĥoj de la tuta tero
vi kaj mi fariĝas unu per amo.

Kiel unu branĉo de familio

Prapatroj fariĝas radikoj
Ni fariĝis unu sub niaj gepatroj

En mondo plena de ŝtormaj ŝtormoj
peco de folio flosanta sur boato
ni estas eterna vaganto.

Vidante la lumon brilanta kiel lumturo
la longa vojaĝo finfine finiĝis.

Sangaj fratoj kaj fratinoj
Kiel la Norda Stelo vidita de la malferma maro
ili ŝvebas ĉirkaŭ mi

Ne varma amo
ne malvarma malamo
tre justa kaj pura emo estas

Aŭdante la sonon de la animo venanta

tra la radikoj
kun amikeco trejnita en la vivo
ni aŭskultas
tiu belan kanton de harmonio

Mi ne povas esti vi
malgraŭ vi ne estas mi

Sub la sama vero
kiel la leviĝanta suno
vi kaj mi staras tiel prenante manojn

En la hejmo de la koro, de kiu vi dependos eterne
ni, la sankta posedaĵo de niaj gepatroj,
ridetas hele sen makulo

Kiel unu branĉo de familio, mi rimarkas la profundan signifon de tiu espero.

Nur esti kune

Mia ekzisto
anstataŭigu la doloron de ĉi tiu mondo
kiam vi eligis malĝojan singulton

Mi ekpensas la signifon de vivi
Vero pura kiel doloro

Sur la vojo de la vivo sole en esenco
fidante al iu
mi vagadas serĉante min

Ĉiuj estaĵoj
ili sinkas en siajn proprajn kastelojn
eĉ kun la sama espero.

Nur estante kune
ni dankas unu al la alia

Steletoj sub la klara ĉielo kiel roso
ĉiuj vidas ilin

Eĥo kiu ridas kune kaj ploras kune
sekvu la eĥon de mia koro

Mia amo
tiel, ĝi komenciĝis sen sono.

En vivo, kiu vagas kun la tero kiel amiko
Fariĝu radio de espero

Baldaŭ vi kantos kun mi
en tiu bela melodio
Mi ne povas fermi la okulojn eĉ por momento

Unu blinda sopiro
Mallonga renkontiĝo, longa adiaŭo
La spuroj starantaj antaŭ mi malproksimiĝas

Nur estante kune
la amo kiu estis bela al mi
fariĝas perdita mevo
kiu vagas la okcidentan maron

Malfacila tago

En tagoj, kiam mi estas malfacila sen fari ion ajn
strange
mia koro doloras.

Miaj malgajaj okuloj sekvas min
Ĝi ploras antaŭ mia koro

Tiutempe
ĉiuj malĝojaj kantoj venas al la menso

Kvazaŭ ĝi kreskis kaŝante
gravurita profunde en mia koro
kompatindaĵoj daŭre dronas ene.

La tutan tagon
mi devas esti malĝoja

Ludi

Post homo naskiĝas
kiel vi ŝatus vivi?

Vivi tiel
vivi ĉi tiel
tago post tago sen signifo
La mondo ankoraŭ ruliĝas.

Falantaj folioj
malĝojigas la vivon de arbo

Mi vidas ĝin tiel
Se vi rigardas ĝin tiel, ĝi estas tiel.
Ĉar ĝi havas sian propran signifon
Mi ankoraŭ revas pri espero.

Vivi estas ludi.
Estas bela vivo kvankam sube faliĝe.

Kiel ajn, ĝi havas signifon.
Ludado estas la kialo por vivi.

Parto Ⅲ

Esper-plena fluo

Kruco

Ruĝa sangoguto
fluanta malsupren al la brusto

kun varma plorado
malsekigas la teron.

Ĉu vi konas la doloron de la Sinjoro?
ankaŭ la savan amon de la Sinjoro

Por viaj kaj miaj pezaj pekoj
Li verŝis sangon

Ni finfine vivas!
Feliĉa homo

Portante sur la kruco
Li ridetas kun la amo

Per la graco de la Sinjoro

Estas la graco de la Sinjoro, ke mi estas, kiu mi estas.

Naskita pekulo
renkonti la Sinjoron estas graco.

La sango, kiun Vi verŝis por mi
Ĝi estas la amo de la Sinjoro.

Agado por forlavi pekojn
Ĝi estas la amo de la Sinjoro.

Pro vivi tiel nun
mi dankas al la Sinjoro.

Revante pri eterna lando
vivi feliĉan vivon estas danko al la Sinjoro.

Ankaŭ hodiaŭ per la graco de la Sinjoro
mi sendas ĉi tiun amon al miaj najbaroj.

Kun dankemo kiun mi renkontis
Mi gloras al la Sinoro el mia tuta koro.

Eterna espero

En la printempo de vivo, estas espero
kiel saltilo
En la pasio, kiu neniam laciĝas kaj
senĉese floras
La nova epoko fariĝas pli kaj pli bona.

La somero de la vivo farita kun sopiro
Estas kantoj tiel signifaj kiel varmaj.
Varma hejmurbo, kiu kuras terure

Kiam venas aŭtuno, beleco sekvas la
tempojn
ĉirkaŭpromenante
donas al ni sopiron

Nun sincera kaj eterna espero
vintro dronas interne
vivas la vivon kun ni

Sen perdi min

Mi malamas la tagiĝon
La steloj venas kun tre proksima vento
Mia brusto dronas en ili
Mi
metante malvarman amon sur piedojn
ekiras al la nekonataĵo, kiun la tero vokas.

Mi ne estas en la vero
Mateno plena de amo
Mi metis amon en miajn malplenajn manojn
Mi staras tie sopirante la veron

Sen perdi min
mi eĉ ne povis vekiĝi kun stelo kaj brusto
kaptante la koron forbrulita de amo

Kun la sopiro kiu estas mi
sen perdi min
tagon promenante hodiaŭ
tre beleta

Mia preĝo

Eĉ kie mi ne povas vidi
trovu la veron en mia koro

Por ke mi povas senti la lumon eĉ en la mallumo
ete tremanta koro
bonvolu igi ĉion forta interne.

Eĉ kie mi ne povas aŭdi
la sono de nova vivo
lasu min senti ĝin en mia koro

Por ke ni povu konigi la historion de paco
fermita korpordo
bonvole estu plenigita de ĝoja espero.

Kun ĉiu malfacila paŝo, kiun ni faras
konduku min per la nuba kolono
Lasu min brili per kolono de fajro

Al tiu hejmurbo, kiu ne estas ĉirkaŭita
de maljusteco
kun niaj fortaj revoj
bonvolu proksimigi min unu paŝon.

Demeti la malveran bildon

Ni kantu novan kanton rigardante la leviĝantan sunon.

Irante preter la individuo al socio
por fariĝi la lukto de intelekto
Mi volas ĵeti malgrandajn mamojn sen bedaŭro.

Amo per konscio purigas doloron
Inigas vin rigardi malĝoje la dolorajn spurojn de korekto

Nun kiam mi rigardas malantaŭen
Trovu homan-tro-homan orientiĝon
Ni progresu en la vivo.

Ne tiel longe kiel mia kanto finiĝas en nekompleta
Mi volas fariĝi varmaj larmoj pro amo.

Eĉ se mia kanto finiĝas per nerespondita eĥo
kiel vi mem, ne kiel ekskuzo
Ni desegnu nian maturan junecon.
Ni desegnu nian pasion.

Mi en mi

Inter la multaj demandoj, kiujn mi sendas al mi
mi ne povas aŭdi eĉ unu veran respondon

Kvankam mi demandas denove
la eĥo nur trafas la aeron.

Kun eterna nostalgio
la mi en mi vivas hodiaŭ

En profunda ĝemo
kaŝiĝas pli profunda amo
belaj narcisoj floras.

Kiel gardisto de lumturo
kiel antaŭiranto, kiu vekas la tagiĝon

por la hejmurbo, kiun oni ne povas atingi per mezurado tie kaj tie mi foriras al la sopiranta nekonataĵo

Eĉ se mi estas forlavita en la frakasantaj ondoj
estas realo, estas nur momento

Ni vivas nian historion fiere.

Kiam mi estas deprimita kun profunda konflikto kaj angoro
profunda, sekreta voĉo venas

La mondo konfidas ĉion al mi
Krome, ĝi petas multon

Mi fariĝis pli malgranda en la fluo de la tempo
Al la mi en mi, kiu krias per laŭta krio
mi ĉiam ŝuldas pezan ŝarĝon.

Trapasante la obstaklojn de la vivo

Kun via koro foriranta
levante ĉi tiun tason

saluton sed tamen
la respondo restas en la glaso.

En la adiaŭo tiu tempo pasis kaj plorado
Malĝojo falis kiel folieto
kvazaŭ verŝiĝanta guto post guto

Sur malgranda brusto
kiel sur lago
iranta kaj venanta boato

Nun mia koro estas englutita en la fluo
irante kaj venante denove

Ĉar ĝi estas doloro sen promeso
mi bildigas malĝojan tagon
senvorte kaj senĉese

Survoje renkonti min

Mi volas ŝpari vortojn.
Por protekti mian altvaloran veron
enmetite en mi
malgrandaj maturaj vortoj

Estas potenco en silento.
Ne maldika buŝo
kanto kun varma koro

Kreskanta en mia koro
amo estas
tio sola devus sufiĉi por fandi la teron.

Vintra vento
eĉ kiam la vento blovas forte
prefere, la vero estas gravurita interne

Vortoj estu ŝparitaj
en misio prizorgi min
Mi vivas hodiaŭ senvorte
Do la tago pasas.

Bela kunirado

Mi marŝas
en senfina vivo

Kiam miaj revoj ne estas en realo
kiam mia amo frustriĝas en la ĉiutaga vivo

mi ne vivas kun mi mem
Nur mia korpo estas kiel efemeraĵo
kaj sole spiras

La mondo, kiun ni kreas kune
por tiu bela kunirado

Kiam mi solvas ĉi tiun realon en songôn
kiam mi vivas ĉi tiun ĉiutagan vivon kun amo

eĉ se mia korpo mortas ĉiutage
mi ankaŭ estas nova persono ĉiutage
kaj nur revivas

Sur la sojlo de somero

Mi pensis, ke la longa vintro pasis
Subite la printempo malaperas
La varma suno varmigas nian korpon.

Mia koro, kiu tremis en la vintro
antaŭ ol mi sentas freŝan aeron de majo
ĉirkaŭ mi, mi vidas febran koron irantan al la plaĝo.

La tempo pasas kiel la arko
Mi estas surprizita nesentble
Hodiaŭ, mi pasigas la tagon ĉirkaŭvagante.

Venas do somero
Do la tempo pasas

En ĉi tiu somero
mi sentas la jarojn pli profunde.

En ĉi tiu somero
mi sentas la vivon pli profunde.

Muĝo sen eĥo

Tiu, kiu vekiĝas kaj preĝas
Kion vi vere volas?

Monda paco
homa feliĉo
malgraŭ mi krias nur vorte
ĉu mi povas vere esti la gardisto de la vero?

Kriante sen aŭskultanto
mi klopodas instigi partoprenon
Kio estas post tiu?

Kun la imperativo, ke iu komencu
kelkaj homoj krias
Historio estas farita de kelkaj kreivaj intelektuloj.

Oni parolas ke unuigu en la vero
Kio estas la vero?

Matene

Sur la hela vizaĝo, kiu subite aperis
kun rideto de timema edzino
mi fermas miajn okulojn kviete

Eĉ la malfacilaj spuroj de la longa nokto
rapide velki
espero, kiu hele brulas

Komencu nun
Estas nova tago

Kanto al la tero kun silenta krio
Skuante miajn malfortajn ŝultrojn
ni forte paŝu sur la novan teron.

Patrujo

Tiu loko, kie vi estas
Nia amo estu kune

En la historio de kvin mil jaroj da rankoro
La blanka mantelo estis makulita per sango.

En la historio brodita kun larmoj
la fumilo estis rompita.

Nia eta sopiro
kiam ĝi turnas sin al vi

Infanoj ĉe baskulludo
ili rulas vigle revante pre vivo

Nova vivo palpas en malfacila historio
La varmo moviĝas en mia koro.

Kiel lumo el la oriento
vi devas stari alte.

Ne, kiel lumo de la homaro
vi devas disvastigi bele.

Tiu loko, kie vi estas
nia unu revo estu kune

La espero de la mondo estas en vi.
En tago venonta kun espero
duon centmilo da jaroj da historio
pleniĝas je blanka robo brilanta kiel la suno

Kun belega historio de prospero
ni fieras vin

Por vi
ni atingu nerompeblan esperon per unu lumo.

Tiu loko, kie vi estas
nia amo estu kune

De li

Mia amo baldaŭ malvarmiĝas.

Kun konstanta intereso kaj scivolemo
Mia pura kanto en unu momento
Ĝi estas facile forgesebla kaj malvarmiĝas.

Espero kaj sopiro, kiuj estis tiel pura
Longaj haroj disĵetitaj sur la tero
Ĝi signas min kaj foriras.

La egoo, kiu malforte revenas al miaj okuloj
kiom longe mi devas premi
ĉu mi transformiĝos per la boneco de la kreado?

Kiel freŝa knabino, kiu matene vekiĝas kaj streĉas
la aŭtomatigo de malĝojo finfine

funkcias.

Nun mi ne povas forgesi ĝin eĉ kiel songôn.
Kiel mi kviete petegas lin dum li foriras por longa vojo
La amo, kiu daŭre flustras en mia orelo

Nur mi kredas je la idealo
La vera memo, kiu rifuzis eniri la arbaron de la realo

La krio de ekskuzoj
Ĝi daŭre ĉirkaŭvolvas mian korpon.

De li
la mondo ridetas hele kiel la luno pro la lumo.

Forlasante la glamoron de sunlumo kaj ami mildan knabinon
eĉ en la mallumo, amo estas varma.

Prenante novan el la loko, kie oni lasis min

kanto kaj amo por ĉiuj

Kolektu tiun senfinan ĝojon
Sendu boaton al sencohava mondo.

La reston de mia vivo kiun mi trovis trankvile
Ĝi estas malgranda sonĝo, kiu devas esti realigita meze de ne longaj tagoj.

Nun kun senkulpeco tio ne estingiĝas eĉ en malgranda fajro
mia amo floras
Malrapide eskapu de la laŭtaj huraoj kaj atento.

Vi

Kun la sopirego en mia koro
mi mallaŭte nomas amon

Frakasante en vezikojn en la blankaj ondoj
eĉ malgranda disiĝo

Ĉizite ĝin en mian dolorantan koron
mi rigardas la ĉielon

En la trankviliga naturo, kiu kredas veron
mi komunikas vortojn per silenta konversacio

Amo, kiun mi enspiras eĉ ĉi-nokte
Bela renkonto en mia koro

Kun brilanta lumo valora kiel stelo
Vi estas kviete ĉirkaŭbrakita

Por ĉi tiu tero, kiu donas esperon

La mondon mi pentras kun tia sulkiĝo
ĝi ŝajnas nekonata, nuba oleo-pentrado
mi sentas strikte al la brusto.

Ĉu mi sola sentas tion hodiaŭ?
La urbon mi ĉirkaŭrigardis kun sento
ne scii kio ĝi estas
ĝi rulas sonante kruelan sonon en trianguloj

Ho, ĉi tio estas senkolora mondo
Ruĝaĵo venas al mi en nekonata lumo
kaj kliniĝas kapon iomete.

Sed, sub tiu klara ĉielo mi vidas matene
en urbo kiu denove floras
Mi vidas la rigardon de la hela kolora suno.

La fetoro kaj la sufoka aero
ili protestas kune!

Koroj, kiuj ankoraŭ bezonas atendi
Nova lando de sonĝoj
Por ĉi tiu tero, kiu donas esperon

Belega vivo

La lasta sunlumo en la vespera krepusko
Forĵetu la okulfrapan misteron
ridetas milde kiel la trankvila luno.

Freŝa amkanto kun nekonata knabino
Altvalora amo alportita de la vero
amika spuro estas granda rido por ni

Prenante novan el la loko, kie mi lasis min
kanto kaj amo por vi
restas tra la tuta mondo kun senfina feliĉo.

La ripozo de la vivo kiu trovis trankvilon
en la ne longa tempo de vivo

Mi vidas malgrandan sonĝon, kiun mi ege bezonas atingi.

Eĉ en malgranda fajro kaj feroca vento
amo, kiu neniam estingiĝas
bela vivo floranta kun floroj nun.

Acero

Ruĝaj folioj, flavaj folioj
oranĝa folieca
Mi volas promeni inter la aceroj.

Bunte brilanta
en diversaj formoj
la koro volas ludi kun ĝojo.

Tiuj tagoj kiuj falas
Ĝi estas la promeso de nova vivo

Aŭtunaj folioj
La ĝojo, kiun ili donis al mia koro
Ĝi estis purpura sonĝo.

Sentante vivi

En tagoj, kiam mia koro doloras tiel forte
vi devas laŭte ridi ironie la ĉielon.

Levante viajn manojn alte
vi devas krii

Ĵus naskiĝante
vivo devas suferi

Kiam vi ne volas vidi vin tre multe
vi devas kaŝi vin.

Eskapu el la ĉiutaga vivo
en la kvieta silento

Rememorante pri soleca vivo
vi devus eĉ fermi viajn okulojn

La afero, kion faras la homoj apud mi
eĉ se vi ne ŝatas ĝin
pro manko de via memstarigo sin
vi devas nur kulpigi vin

Kiam vi sopiras eĉ la pasintecon
vi devas reiri al la malnovaj tempoj kviete

Ĉi-nokte, eĉ la steloj dormas kaj kvietas
kiel blanka leono dividanta la teron
tranĉi solecon horizontale
mi devas konstrui ĝin paŝon post paŝo
en la malplena loko, kie mi kreskis.

La matura odoro de soleco
Ĝi plenigu vian koron

En tago, kiam la ĉielo estas blua
lasu ĝin verŝi kiel pluvo kiel hajlo

Ĵetu ĝin al la pinto de malproksima monto
Vi devas suferi pro soleco.

Ĝi finiĝas per propra plendo
malplena rakonto en mia koro

Eĉ se mi aspergas ĝin sur la teron
mia brusto iom malstreĉiĝas

Birdo kiu ĵus preterpasis
ili rigardas malantaŭen kun duono da
maldormaj okuloj.

La delikata vivo kiu vivas en homoj
pli kaj pli seniluziigita pri la homaro
negrave kie vi staras
malgaja koro, malgaja espero

La etika propono, ke ĝi estas nur mi
Devus esti pli, sed pli malĝoja vivo

Kiel homoj, ni devas pardoni
mi ne povas ĉar mi estas homo

Mi sentas min vivanta
en mondo kiu rondiras kaj rondiras

La hejma printempo, kiun mi postlasis

Ĉe la piedo de jaksan kie azaleoj floris
kaduka pajlotegmenta vilaĝo estas ĉirkaŭe
mi ne povas forgesi tiun lokon, mi iras tien eĉ en miaj sonĝoj.

Spuroj de floroj disĵetitaj sur la forsitia barilo
Amika amiko, kiu kutimis babili kun vi, la sono de amikaj vortoj
Kial ĝi eĥas ĉi tiel dum mi vekas aŭ dormas?

La amikojn mi sopiras, la monto kaj rivero mi sopiras
Mia hejmurbo sen spuro en la senŝanĝa naturo
Nur la kanton, kiun mi nun kantis, mi brulas pli da simpatio.

Unuavide, ĉe la novaĵoj pri floroj en mia hejmurbo,
tiu amo, kiu pli kaj pli kreskas
Hodiaŭ, kiel infano, mi volas ludi kaj ruliĝi en ĝi.

La ĝojo preni socian doloron kiel mian propran

Mi havas ĉelojn en mia korpo
Mi konstante vojaĝas tra la tempo.

Mi ne volas esti ligita al la mastro de demokratio
elspiro
Longa postgusto kiu disvastiĝas sen severeco

Doloro ĉe la fino
mia kanto iras en malgajan silenton
La posedanto de libereco signas

Senfina socio
Silento de doloro transdonita de moviĝantaj ĉeloj
Purpura espero floras en doloro

Devas iri

al la batalkampo de demokratio kie ĝojo fariĝis malĝojo
Ĉeno de pli granda diktaturo kiu rompas diktatorecon

Socia doloro
La ĝojo esti mia

Ho, kun ĉi tiu ĝojo de libereco
Sentima konfeso fandas miajn malbonhumorajn okulojn
Bonodora pento forpelas la malbonan manon.

Mia kanteto vekas min
kaj vekas min, kiu volas stabilecon.

La kanto, kiun la dezerto perdis

Kie rozoj floras
la vivo de la rozo estis spiranta.

Eĉ inter la malgrandaj folioj
la protestoj de la akraj dornoj malamis
ĉi tiun lokon.

Bela senkonscia placo
La eta princo
Li ne povis vidi la doloron en la dezerto.

En la solecejo de amo
kun koro de sopiro
mi malsovaĝigas la princon

Eĉ la kanteto kiun li kantas
velki kiel fulmo

Vento blovanta al nekonata loko
Vortoj interplektitaj kun malĝojo

Amikoj de hejmloko
ili fariĝas kaptito de la urbo

Libera amo
Varma libereco bruligas la dezerton.

Perdita kanto
Spuro de nostalgio, kiu revenas al la dezerto.

Al historio

En epoko, kiam la tero estas perdita estis ĝardeno, kie revoj kaj ideologioj kunvivas.
Matene la kanto disvastiĝas
Historio plena de amo, kiun eĉ birdoj ne povas ne ridi
Ĉu sango spiras en ĝi?

Sur la tero, kie la amo malvarmiĝis historio malrapide pentras unu paŝon samtempe.
Tagmeza Frenezo floris kun sloganoj
Mi nur volas dormi en la doloro, kiun la ĉielo kaj la tero kreas
Ĉu mi montru sangon al li kiu estas longeaspektata ?

Por trovi la tagon, kiam la vero reviviĝis
mi rigardas supren al la ĉielo prenante

manojn ĉe vi

Vespero plena de ridetoj kun vero
al ĉiuj, kiuj kuros tien
la ĝardeno de libereco, la paradizo de amo
ĝi estas komenco de montrado

Leviĝanta el la nevideblaj profundoj
ruĝeta espero
la soleco, kiun la historio instruas
fariĝas rido de doloro nun
mi iros al tiu mondo
manoj, piedoj kaj brusto kiel unu.

Al la stelprinco

La vojon por atingi tien
eĉ nova vojo kiu etendiĝas malproksime
estas bona.
mia amo paŝas
Eĉ se mi trapasas malfacilan doloron
kaj iras sen paŭzo
espero forvelkiĝas
Sopiro skribi al la stelprinco

Kiam mi ekiras sur vojon al nekonata lando,
kie vereco vivas
eĉ se feliĉo kaŝiĝas en honto
bedaŭrinde miaj paŝoj iras iom post iom
vokante al vero
al la malĝoja doloro por atingi la stelprincon

En la blanka mondo

la tuta lando ne estos ruĝa
la rakonto de stelo kie vivo fariĝas ĝojo
mi pensas pri ĝi hodiaŭ
mi vokas mallaŭte la stelprincon

La tempo de disiĝo, kiu rompas mian koron
la tago ne estas forlasita
Fariĝis multe da malĝojo en larmoj
kurante al la princo
En la lando, kie staras amo
ni levas la manojn kaj bonvenigas niajn revojn

Al la stelprinco
sendante amon senĉese
ni trinku multe kun la espero de reveno.

Tempovojaĝado

Jugo, kiu transpasas la nunecon
La tempo faras longan vojaĝon kun la historio sur la dorso.
Fosi en la subjektan konscion
rajdu la profundiĝantajn ondojn de dubo
Miaj paŝoj remas la pasintecon.

Lavu min de la malpuraĵo
En la hejmurbo de vera justo
kantantaj paŝoj tenantaj supren la flagstangon de la boneco

Bruligante la restaĵojn de malnova kaj malsana historio
justan novan vivon
La vojo, kiu estas nutrita de mi
Vojaĝado estas amo, kiu disvastiĝas kun ĝojo interplektita
plantante ŝtelitan belecon

Kun nenie iri ĝustatempe
estas vojaĝo
Matene ni faras la sunon nia amiko kaj
ni parolas kun la nuboj
Vespere, sopirante la sunsubiron kaj
miksante kun la ĉielo

Ideala ĝardeno por ĉiuj ĝui
Vojaĝo al la reva lando
Miaj paŝoj vigle paŝas sur la teron
altiĝanta historio
Dum tempo disvastiĝas, ĝi fariĝas floro
kaj donas fruktojn
Vojaĝanto de amo

Signifo de tempo

La tempo venanta al mi
Dancante kun espero kaj fajfante
memoroj kiuj pasis kaj foriris

Mi eĉ ne povas desegni signifon
eĉ se mi doloras kun larmoj
mallumo trempanta la ĉielon
la tempo pasas kaj maldolĉe ploras.

Li estis tiu, kiun mi elektis
La mi en li interne, kiu ŝanĝiĝis pro mi
Ni rekomencu nun fumi la estingitan deziron
Mi rondiras kiel sunfloroj ĉirkaŭ ĉi tiu nokto ankaŭ.

Al kiu mi plendu?
Kiu aŭskultos?

Al li, kiu konis la silenton

kun volo kiu transcendas morton
mi iras nun, mia vojo

Vivo instruita de tempo
la tempo pasis al mia vivo
Al li, kiu kun signifo releviĝis
mi transdonas mian kanton

Trankvile promenante laŭ la strato
kun la tempo, ne ekzistas vorto.
Mi timas la jarojn, kiuj kuris post la fantomo
Nun mi paŝas al mi
Mi aŭdas tiujn paŝojn

Prefere ol fariĝi
kiel mi vivos mian tagon?
Bonaj valoroj de ĉirkaŭ mi
Tempo por serĉi sen nomo kaj sen lumo
Eĉ tiu tempo estos forgesita.

Ni iru al la maro

Sonĝoj vivas verda kaj kuras
sur tiu ondo
Ĵetu mian varman koron
Ni naĝu kaj revivu
Ni iru rapide

Ĉar nur la naturo estas bela
uzante la ĉielon, kiu perdis homojn,
kiel kusenon
glutu la malvarmigajn verdaĵojn
miksante kun la granda sunlumo
Ni kuru al la maro
al kiu ni malproksimiĝis

La birdo krias
La krioj de hejmurbo rondiras ĉirkaŭ
fiŝoj
estas kanto nun por bonveni
al mia origina koro
al la maro de sopiro

En la valo de la originalo
forĵetu mian solecan korpon
Ni saltu al tiu maro.

Blanka ondo de noveco
konstruita de la suno kaj la luno
bela fiero
Ni iru al la maro, kie revoj maturiĝas.

Gaja vojaĝo

Mi perdas min en la vivo
kaj provas trovi ion agrablan.
Malgraŭ mi daŭre serĉas ion novan
ne estas limo al deziro
Nur efemeran momentan mi bonvenas

Mi volas trovi mian koron
nekapabla montri,
la malgranda realaĵo, kiu ne povas esti
kaptita.

Ĉesu fari erarojn de difino
Nur rigardu aferojn per pozitiva okulo.
Ni ĉiuj estu bonaj najbaroj
Mi estos bona najbaro unue
Mi perdos iomete.

Tiam mi rigardis supren al la blua ĉielo
Pensu pri tiuj, kiuj jam iris al la ĉielo.

Kio estas eterna en ŝanĝiĝanta mondo?
Ke mi nun estas kun li
eĉ ne provu kompreni
mi devas fariĝi li kaj revidi min.

Mi ne sentas min certa pri mia vivo
Ne malkuraĝiĝu, se vi ne povas imagi
la malproksiman estontecon.
La vojo donita al mi hodiaŭ
Kiam vi estas fidele plena de ĝojo
malgrandaj tagoj kolektiĝas
la rivero de vivo fluas.

Tra la gruza vojo jen kaj jen
ekloĝante en la senfina maro
vi ĝuos la vojaĝon.

Kun ŝtonetoj
ĝi estas mallonga, sed ni povas paroli
kanti unu al la alia

La vorton mem
Lasu tiun regulon.
Ni iru kontentaj pri la maniero kiel ni
nun staras.

Senfina koro

Mi esperas, ke koro revenos.
Kien ĝi iris?
Ĝi estas nevidebla.

Mi fermas miajn okulojn kaj pensas pri iu.
Kion mi povas vidi?
Nur vi, kiu ne povas esti nomita

Mi fermas miajn okulojn
Vi fermas la okulojn
Kian elekton ni bezonas?

Kio estas avideco?
Vivo kaj morto estas en spiro
Mi malĝojas por ni

Kreskante

Trovi heroon
La ĝardeno kie mi ludis kiel infano

Ankaŭ la ĝardeno ŝanĝiĝas
Mia korpo ankaŭ pligrandiĝas.

Nun kie mi estas
ĉiam fidela.

Mi estis aroganta
sinteno al vivo kiel infano

La jaroj ŝanĝiĝas
Mia menso estas tiel matura

Ŝajnas, ke la vojo finfine venis
ĉiam humila

Kvanto donita al mi

Junuloj havas siajn proprajn idealojn
Vi devas antaŭenpuŝi kun impeto.
al la tuta homa komunumo
Mi devas fari mian parton
dum mi naskiĝis kaj kreskis
Ĉiuj aferoj, pri kiuj mi respondecis
ĝi devus esti amuza fari

Forlasu momentajn plezurojn.
Forlasante la plezurojn de la karno
estu aŭdaca en la valoro de pia vivo.
Homaro tra nova generacio
Ni devas iri al pli bona mondo.
La mondo devas fariĝi pli bona loko por vivi.

Kio estas la voko donita al mi?
Ĉiuj havas malsamajn talentojn
La cirkonstancoj kaj la naturo estas malsama

Tiam la sola maniero ni povas
kion mi nun faras
Ĉu vi sentas plezuron?

Tiu plezuro devus esti rekompenca.
Kiel feliĉa maniero fini la tagon
Nur tiel esprimi min tia kia mi estas.
Mi ĝuas la valoron de ekzisto
Kiam mi estas fidela al mia rolo
ne estos malplena spaco pro mi.

La plezuro fariĝas pli granda
Depende de la persono
Tiam vi estos fidela al via naturo.
Eĉ se ĝi estas malfacila, sur la vojo, kiun vi elektas
Vi devas preni respondecon por vi mem.

Pli interna valoro

Ol kiu vi volas esti
kiel vi fariĝos vivanta homo?

Mi devas meti miajn vivvalorojn kaj
songôjn tie.
Tre hela vivo
La hodiaŭ tro granda por fariĝi io

Regata de malsamaj valoroj
fariĝi malsama homo
pli interna valoro
kiel vi fariĝos vivanta homo?

Multaj homoj parolas antaŭen
pensante kion tiam
ĉu li diris tion?

Mi ne estos tiu persono
Ni komprenu ĝin

Dum tempo kaj cirkonstancoj ŝanĝiĝos,
ankaŭ viaj pensoj ŝanĝiĝos.
Tre diversa socio
ne difinu min kiel unugranda por ĉiuj.

Ni ĉiam zorgu pri mi
pli bone ol hieraŭ
Ne, estas malsame ol hieraŭ

Kio estas pli bona
ni haltigu la valorjuĝon.

Pli interna valoro
kiel vi fariĝos vivanta homo?

Simpla sonĝo

Vivi kun sonĝo
en vojaĝo sur la komplika vojo en mia koro
Ĝi rigardos la mejloŝtonojn.

Eĉ se ni renkontas malfacilajn aferojn survoje
senĉese al tiu bela sonĝo
ni povas iri paŝon post paŝo
Ĝi povas esti komforto al via koro.

Ne estas facila vivo
pli serioza renkonto
Sed ĝi ne estas eskapo-serĉo.
por pli sana renkontiĝo

En mondo kie ni vivas en vero
ne mi, kiu raciigas kun relativa vero
ĉu ni falu por la absoluta vero?
Ni ne malamu simplajn sonĝojn.
Sed eĉ ne algluiĝu al ĝi.

En ĉiu tago ni vivas

sonĝante fariĝi pli bona
ĉu malfacilas?

Se vi perfidas la veron de la tempoj...
mi devas vivi la vivon, kiun postulas la tempoj.
Ŝajnas, ke vi falas el tie.

Rerigardante, vivo sen bedaŭro
ĝi estas vere malfacila propono, por iu ajn.

Pacon en la koro
vi povas aŭdi ĝin ĉie
Ĉar la maniero praktiki ĝin estas tiel malproksima
vivo estas io pri kio vi ne povas paroli facile

Nun
ni daŭre nutru la sonĝon, kiu iras al mem ene

Kantante kune
ni trinku iom da paco.

Eta paco

La sango de junulo, kiu volas ion atingi
bolanta pasio varmigis ĉi tiun mondon.

Farita kun malvarma rezono
en skulptita mondo
ruĝa rozo floranta en sonĝo.

Kiom longe mi devas havi tiun belecon?
Kiom longe mi povas havi ĝin?

Ĉiam nova generacio
nova socio

en niaj vivoj, ke ni marŝos kun la tempo
kio estas la nova vorto?

Ankaŭ mi estis tia
Ion nun

postlasante malgrandan penton
iom da paco kiu dormas trankvile

Serena rigardo rigardanta en la aeron
penante vivis dum ĉi tiu tempo
milda rideto kiel postvivanto

En mondo, kie vi vivis per via propra mezurilo
la tagojn mi vivis kiel puŝo.

La tagojn mi vagis sen trovi min.
kiom longe vi iros

Kio restas el mi?
Kion mi povas fari?

Stakante ŝtonetojn en angulo de historio
ni esperu, ke nia komuna kastelo ne disfalos.

Ni sentu la veron kaŝita ene.
Mondo formita de la laboro de multaj

animoj

Mi envias tiujn, kiuj vivas sian vivon fidele.
Nia socio estas heligita pro ili
Ni ne forgesu por momento.

Mondo kun pli da bonaj homoj
Sed kio estas pli bona?

Ĉar estas homoj, kiuj sekrete servas
Homoj kiuj loĝas trankvile en siaj sidlokoj

Kiu vekas nin?
Ĉu klerigita publiko aŭ populara agitanto?
Ĉu ĝi estas montro de memo, kiu kaŝas sukceson?

Hodiaŭ mi estas sur malplena strato
pasigi la tagon nur por manĝi
Mi scivolas, ĉu ne tiel ni vivas.

Mi unu

mi eliris iomete kaj trovis la komforton de mia familio nur
ĝi fariĝis celo de mia vivo

Se mi sentas solecon kaj doloron eĉ en tiu eta vivo
ĉu tio ne estas tre egoisma vivo?

Al la najbaroj, kiuj renkontas min
se mi fariĝus ŝarĝo?

Almenaŭ mi ne devus esti ŝarĝo
Kiel malĝoje estus, se iu alia plorus pro mi?
Kiel malĝoje estus, se iu alia suferus pro mi?

Mia koro doloras.
Pro la doloro de la najbaroj prefere ol la doloro kaŭzita de mi

Kia homo povas esti?
Sentu la doloron de aliaj kiel vian propran.

Simpla sento

Al la persono kun mi
kion signifas esti fidela
Ĉu io?

Tio feliĉigas lin
Kio diable estas?

En lia vorto
konkludoj eltiritaj el sennombraj imagoj

Ne kredu je tiu falsa vero.
Nur ĝuu la simplan senton.

Nur la fakto, ke ni estas kune
Se vi povas esti feliĉa kun ĝi
sufiĉe

Koro por aliaj
kiel vi povas senti ĝin tra via korpo
mi tiom amos vin kviete

Nur unu vorto por diri, ke vi estas bela

La historio kaŝita en mi
mi volas paroli ĝin al iu.
La tagojn mi vivis kun malvarma koro

Mi neniam diris, ke mi vivis malglatan vivon
Mi ne povas konfesi
eĉ en la tagoj, kiujn mi ĝis nun vivis, estas doloroj

Rerigardante, ĉu ĝi ne estas tro aroganta?

Kiel mi vivis sola
al ĉiuj ĉirkaŭ mi
prefere ol esti signifoplena.
Prefere ol postkuri ĝin
mi devus esti kvieta ene

Kiam vi rigardas la mondon per hela kaj milda rigardo
la mondo flustras al mi,
ĝi estas mondo en kiu valoras vivi.

Oazo havas sonĝon.
Kvazaŭ la dezerto estas tiel bela pro oazo,
homo havas sonĝon kaj do estas bela.

Mi vivis kun la varmo de mia koro
Ĉu mi povas pardoni mian hodiaŭon per ĝi?

Vi estas tre egoisma
Se ĝi ne utilas al vi
montrante fingrojn al ĉiuj kaj kraĉi vortojn
Vi estas tiel egoisma

Ni malamas nin pro tio, ke ni ne rigardas nin tiel.
En ĉi tiu malbela mondo
kiam oni sentas bonodoran koron, tio estas miraklo.

Kelkfoje mi volas renkonti miraklon.
Perdante vin mem
plenigu vin per io signifoplena
Mirakloj kiuj daŭre okazas

Por bela mondo
nia revo estas floro, kiu neniam velkas.

Malgranda ĉielo

Spiru la matenan aeron kaj eliru sur la vojon.
Ni komencu esperplenan tagon.

Dum mi eliris postlasante la dormantan personon
ne devus esti eĉ eta aroganteco.

En tia hela tago
tago kun pli klara koro

Okazas inter ni
malgranda ĉielo

Vekante la profundan signifon de la vivo
feliĉa konversacio kun ĉiuj, kiujn vi renkontas

En mondo vidata kun rideto

serĉante ĝojon
fandu malgrandajn dolorojn per sunlumo.

La ĉielo, kie fandiĝis la malĝojoj de niaj najbaroj
rigardante supren al la ĉielo
sinceraj deziroj
Mi esperas, ke neniu ploros pro mi
Mi esperas, ke neniu doloros pro mi

Mi sentas kun feliĉo, ke mi ne povas peti pli
Donu la manon al la persono apud vi.

La feliĉo, kiun mi kreas, estas reala
Estas malgranda ĉielo en ĝi.

Preĝu

Mi volas kovre amason da pekoj
kun amo

Donu al mi amon
Preĝu

Mi volas servi kiel bona administranto
kun amo

Donu al mi amon
Preĝu

Vi devas preĝi kun la forto donita de Dio
por servi bone la animon

Vi devas preĝi al Dio kiu donis
por uzi bone la talenton

Preĝo estas la spiro de vivo
vojo de mia vivo

Preĝo estas la vojo al pento,
maniero esti pura

Preĝo estas la flago de espero,
konduku vin al la cielo

Preĝo estas la potenco de fido
Venko esti mia

Vortoj de aŭtoro

Nur pro la fakto, ke mi vivas kaj spiras en ĉi tiu mondo, ĉiuj tagoj estas esperplenaj.
Per ĉi tiu malgranda kolekto de poemoj, mi revis pri pli bona mondo por vivi, plenumanta vivo, esperplena vivo.
La temo estas espero.
Mi ŝatus inviti ĉiujn al la amuzejo, pasia espero bazita sur fido al homoj kaj la mondo.
Poezio estas la okulo per kiu ni vidas la mondon.
Mi kantis esperon en formo de poemo, revante pri pli bona mondo por vivi rigardante miajn najbarojn kun varma koro.
Mi skribis poezion kiam ajn mi havis tempon, esperante ke mi povus memori Dion la Kreinton kaj disdoni la profitojn de la talentoj konfiditaj al mi.
Mi preĝas, ke ĝi estu poemo, kiu donas iom da paco kaj ĝojo. el Mateno